Monika Maron
Geburtsort Berlin

S. FISCHER

Sämtliche Fotos und das Umschlagmotiv
von Jonas Maron

© S. Fischer Verlag GmbH, Frankfurt am Main 2003
Druck und Bindung: Clausen & Bosse, Leck
Printed in Germany
ISBN 3-10-048818-0

Inhalt

Linienstraße Ecke Gormannstraße,
Mitte, 1993

Tane

Wie es dazu kam, daß ich, ehe ich lesen konnte,
wußte, was das »von« vor einem Namen bedeutet,
nämlich etwas, das zu einer längst vergangenen
Zeit voller Ungerechtigkeit und Willkür und darum
abgeschafft gehört, weiß ich nicht. Vielleicht war
der Name auf dem Straßenschild auch in Fraktur
geschrieben, so daß ich eigentlich schon lesen
konnte, eben nur nicht diese Schrift. Wahrscheinlich
war es so, weil es ja kaum möglich ist, daß ich fünfjährig – mit sechs konnte ich lesen und auf englisch
bis zehn zählen –, daß ich schon fünfjährig beschlossen haben sollte, Fontane seines Adelstitels
zu berauben und ihn fortan nur Tane zu nennen.
Wenn ich meinen Onkel Paul besuchte, ging ich nun
nicht mehr in die Fontane-, sondern in die Tane-
straße. Ich weiß noch, daß meine Mutter, meine
Tante Marta und alle anderen Tanten versuchten,
mir den Sonderfall Fontane zu erklären und warum

man zwar Goethe das »von« wegnehmen dürfe, Fontane aber nicht. Da es mir aber gerade um die Gleichheit aller, der mit »von« und der ohne »von« ging, ließ ich Sonderfälle nicht gelten, auch nicht für Tane.

Eines Tages konnte ich dann lesen, was auf dem Straßenschild stand. Es war natürlich nicht das erste Wort, das ich überhaupt gelesen habe, aber an dieses erinnere ich mich ganz genau, vor allem an den Schreck und die Scham, die meine Erleuchtung durch die Schrift als heißer Schmerz in der Magengegend begleiteten.

2002

Das Gymnasium
Zwei Wochen Blauhemd

Dem Wort Gymnasium haftete, seit ich es zum
ersten Mal gehört hatte, etwas Verdächtiges an.

Auf ein Gymnasium gingen die Kinder der
Reichen, also der Ausbeuter, die den Kindern der
Ausgebeuteten das Recht auf Bildung geraubt hatten, um sie weiterhin beherrschen und ausbeuten
zu können. Ein Gymnasiast war, wie der dickliche
Petka aus Katajews »Es blinkt ein einsam Segel«,
ein verwöhnter, ängstlicher Junge, der keine
Ahnung hatte vom richtigen Leben und das erst
von Gawlik, einem revolutionären Arbeiterjungen,
lernen mußte. Lebende Gymnasiasten kannte
ich nicht.

Und dann verschlug es mich 1955, nach der
Grundschule, ausgerechnet auf die einzige Oberschule Ost-Berlins, wenn nicht der ganzen DDR,
die noch Gymnasium hieß, nämlich »Berlinisches
Gymnasium zum Grauen Kloster«. Das fand ich

zwar interessant, aber eben auch ein bißchen lächerlich. Die Ermahnungen älterer Lehrer, der Tradition unserer ehrwürdigen Schule den gebührenden Respekt zu erweisen, wirkten auf mich komisch, rührend auch, und als wir zum 1. Mai 1957 mit Schulemblem und Schulfarben für die Sportlerriege marschierten, wußte ich nicht genau, ob ich das Traditionsgetue eher peinlich oder vielleicht doch reizvoll finden sollte.

Mein Bekenntnis zum Gymnasium und zur Tradition meiner Schule setzte erst am Nachmittag dieses 1. Mai 1957 ein. Meine Eltern saßen mit einigen Freunden, darunter ein Polizeipräsident, in unserem Wohnzimmer und bestürmten mich in ihrer Feiertagslaune mit Fragen nach meiner Schule. Sie hatten von der Tribüne tatsächlich unser Emblem gesehen, und obwohl meine Eltern ja auch vorher wissen mußten, wie meine Schule hieß, waren sie plötzlich

Raumerstraße, Prenzlauer Berg,
1992

aufgebracht und entschlossen, diesen anachronistischen Unfug zu beenden.

Ob die folgenden Ereignisse dann wirklich eintraten, weil unser Emblem meinen Stiefvater und seine Freunde an die Kränkungen ihrer Kindheit erinnert hat, oder doch vor allem, weil sich eine Abiturklasse des altsprachlichen Zweigs geschlossen zum dreizehnten Schuljahr in West-Berlin angemeldet hatte, weiß ich nicht. Jedenfalls wurde unsere Schule umbenannt in »2. Oberschule Mitte«, wir bekamen einen neuen Direktor, der nicht einmal des Deutschen vollkommen mächtig war, geschweige denn des Griechischen oder Lateinischen, dafür aber verlangte, daß alle Schüler die nächsten zwei Wochen in FDJ-Blusen zu erscheinen hätten.

Während ich noch zwei Jahre lang miterlebte, wie meiner Schule die Reste gymnasialen Geistes ausgetrieben wurden, gewann das Wort Gymnasium für mich einen verheißungsvollen Glanz, ähnlich solchen Worten wie Kammermusiksaal oder Handwerkerinnung oder Königlich-Preußische Porzellanmanufaktur. Jedenfalls erzähle ich jetzt noch gerne, daß ich Schülerin des Berlinischen Gymnasiums zum Grauen Kloster war, wenn ich auch nur zum R-Zweig (verstärkter Russischunterricht) gehörte und von dem traditionellen Bildungsgut meiner Schule gar nicht profitieren konnte.

2002

Wir wollen trinken und dann ein bißchen weinen

Die Stadtmitte der Hauptstadt ist ihr westlicher Außenbezirk. Die Mitte ist die Grenze; das Nicht-überschreitbare ist die Mitte, auch des Denkens. Da, mitten in die Mitte hinein führt eine Tür, ein eisernes, braun angestrichenes Tor, durch das die von draußen kommen, von drüben, aus dem Westen, wie immer einer das nennt. Die Tür hat nur auf einer Seite eine Klinke, auf der anderen. Die Rede ist vom Bahnhof Friedrichstraße, dem symbolträchtigen Schauplatz von Stadtgeschichte, nationaler Geschichte, von unzähligen Familien- und Liebesgeschichten. Ein Ort voll stumpfer Dramatik.

Vor dieser Tür im Mittelbau des Bahnhofs stehe zuweilen auch ich und erwarte meine Gäste. Ich stehe im gleißenden, von den gelb gekachelten Wänden feindselig reflektierten Neonlicht inmitten anderer Wartender, glotze wie sie auf diese Tür, die alle paar Sekunden ein Menschlein ausspuckt,

manchmal auch mehrere zugleich, ins Schloß fällt,
sich öffnet, spuckt, wieder zufällt. Ich weiß, gleich
neben der Tür hängt ein Schild: Halt! Weitergehen
verboten; ich weiß es, aber ich sehe es nicht, ich sehe
nur auf die Tür, wie die Blicke aller Umstehenden
magisch auf die Tür gerichtet sind. Einziger Zeit-
vertreib: die Personenbestimmung der Ankömm-
linge, Ostmensch oder Westmensch. Die meisten
sind Rentner, Ostmenschen also. Sie schleppen
schwere Taschen und Beutel, wenn sie vom Einkau-
fen am Zoo oder in der Neuköllner Karl-Marx-Straße
kommen, große Koffer, wenn sie Verwandte in West-
deutschland besucht haben. Einmal habe ich hier
einen Gepäckträger gesehen, ebenso alt und auch
so gebrechlich wie die Frau, deren Koffer er trug.
  Haben die schwer Beladenen sich samt ihrem
Gepäck endlich durch den schmalen Spalt in der Tür

Bernauer Straße, 1992

bugsiert, retten sie sich zunächst an das eiserne Geländer, das ein zimmergroßes Areal vor dem Tor begrenzt. Da stellen sie ihr Gepäck ab, sortieren die Papiere, die sie in den nervösen, schweißfeuchten Händen halten, suchen unter den Wartenden jenseits der Absperrung nach einem, der ihretwegen da steht. Finden sie keinen, greifen sie seufzend oder entschlossen nach ihren Koffern und Taschen, schleppen sie und sich an den Taxistand vor dem Bahnhof, um sich ergeben in eine Schlange von 30 oder mehr Leuten einzureihen. Andere bleiben keuchend hinter der Tür stehen, bleich, öffnen einen Kragenknopf, tupfen sich mit einem Tuch den Schweiß von Stirn und Schläfen, während ihre Kinder oder Enkelkinder auf sie zustürzen und sie zu einer der beiden Bänke mit insgesamt acht Sitzplätzen führen, die in dieser Wartehalle den Bedürftigen zugedacht sind. Der Weg vom Zug bis hierher war zu schwer, es gibt keine

Rolltreppen, keine Gepäckwagen, die Wartezeiten an der Paßkontrolle sind oft lang, Sitzgelegenheiten nicht vorhanden, die Luft ist schlecht. Dazu vielleicht die Angst wegen einem bißchen Schmuggel, Bücher oder Kassetten für die Enkel, wer weiß. Sie schaffen es bis hinter die Tür, gerade so.

An den Abenden finden sich auch jüngere Leute unter den einreisenden Ostmenschen, Teilnehmerinnen und Teilnehmer an dringenden Familienangelegenheiten, mehr Frauen als Männer, wie mir schien. Die Kinder und der zurückgebliebene Elternteil stehen gespannt am Geländer, bis eines der Kinder einen Blick durch den Türspalt wirft und schreit: »Mama kommt.« Der Mann freut sich, weil die Frau wieder da ist, die Kinder mustern gierig Koffer und Tüten, die Frau, von den Geheimnissen des heimkehrenden Reisenden umgeben, strahlt eine leichte Überlegenheit aus – ein fast normales Bild.

Schönhauser Allee Ecke Sredzkistraße,
Prenzlauerberg

Es kommt vor, daß ein Angehöriger des Grenzorgans durch die Tür tritt und sich einen Weg durch die Wartenden bahnt. Ich habe selten erlebt, daß einer von ihnen bittet, er wartet, bis man ihm aus dem Wege geht. Bittet er doch, murmelt er etwas Unverständliches durch den fast geschlossenen Mund. Auf keinen Fall lächelt er.

Zuweilen frage ich mich, was wohl ein Westmensch – in dem elektrisch erleuchteten Anzeigenkasten über der braunen Tür als Bürger der BRD, Bürger Berlin (West) oder Bürger anderer Staaten bezeichnet –, was die Sinne eines solchen Westmenschen wohl wahrnehmen, wenn sich das Eisentor zum erstenmal in seinem Rücken schließt: unsere ihn gleichgültig und erbarmungslos taxierenden Blicke, die sieben Schilder, auf denen in schwarzweißroter Bildersprache das Rauchen untersagt wird, der Gestank, der von den Toiletten aufsteigt, in die zwei der Eisentür gegenüberliegende Treppen führen, der graue schmutzige Fußboden ... Kein Ort in der Stadtmitte wirkt trostloser, ungeschminkter. Was die Plakate an den Litfaßsäulen verheißen: Berlin – weltoffene Metropole, beginnt erst einige hundert Meter entfernt vom Sicherheitstrakt Bahnhof Friedrichstraße.

Vor 20 Jahren, als ich noch in unmittelbarer Nähe studierte, habe ich dem Schauspiel zwischen der Schinkelschen Neuen Wache und der Knobelsdorffschen Staatsoper zum letztenmal zugesehen. Seitdem war diese leibhaftige Demonstration preußischer Geschichte eher ein Grund, die Stadt am Mittwoch zwischen zwei und drei zu meiden, wenn für eine halbe Stunde der Verkehr zwischen Friedrichstraße und Palast der Republik gesperrt, der Platz vor der Neuen Wache – heute Mahnmal für die

Opfer des Faschismus und des Militarismus – von der Polizei mit Seilen eingezäunt wird. In mein Bild vom Stadtbezirk Mitte aber gehört die allwöchentliche Wachablösung ebenso wie die Straße, in der sie zu bestaunen ist: das architektonische Prunkstück preußischer Königsmacht Unter den Linden.

Also begebe ich mich an einem Mittwoch im September, eine Stunde vor Beginn des Spektakels, an den beschriebenen Ort. Vor einem klaren blauen Himmel strahlt in der herbstlichen Sonne weithin das frischvergoldete Kreuz des Domes. Kaiserwetter sagen alte Leute heute noch zu solchem Tag. Als ich um halb zwei vor der Wache ankomme, befestigen zwei Polizisten gerade die Seile, mit denen später der Bürgersteig abgesperrt wird, jetzt liegen sie noch schlapp auf den Steinen. Die ersten Zuschauer finden sich ein – an ihrem Dialekt identifiziere ich sie als Bewohner südlicher Regionen dieses Landes –, sie stellen sich auf einen Platz, den sie für den besten halten, offenbar bereit, ihn für die nächste Stunde nicht zu verlassen.

Auf der Promenade zwischen den beiden Fahrbahnen reitet in philosophisch nachdenklicher Pose Eff Zwo. Kurz nach dem Krieg hatte man das Denkmal von Christian Daniel Rauch als Sinnbild militaristischer Preußenherrschaft nach Potsdam verbannt und vor sechs Jahren, nachdem die ältere deutsche Geschichte weniger emotional betrachtet, dafür auf ihre praktische Verwendbarkeit untersucht wurde, hierher, auf seinen seit 1851 angestammten Platz, zurückgebracht.

Der Platz vor dem Ehrenmal füllt sich; Schülergruppen, Touristen, drei Busse mit französischen Soldaten, ein Bus mit englischen und ein Bus mit amerikanischen Soldaten. Berlin – weltoffene Metropole.

Eine ungewohnte Stille beherrscht die Straße, der Verkehr ist umgeleitet. Bauarbeiter, die die Staatsoper für die 750-Jahr-Feier Berlins herrichten, stehen mit verschränkten Armen auf der Balustrade und sehen auf uns herab. Nur ein einzelner Zimmermann drischt rhythmisch auf das Dach der Oper ein, und ich, der Suggestion des Wartens erliegend, halte sein Hämmern für die Pauke des nahenden Musikcorps.

Dann, fünf Minuten vor halb drei, kommen sie wirklich. Mit Tschingderassabum und Tambourmajor biegen sie im preußischen Stechschritt aus der Universitätsstraße in die Linden ein. Die Augen unter den Stahlhelmen starr nach vorn gerichtet, marschieren sie an dem ihnen leicht zugeneigten Alten Fritz und an den Zuschauern vorbei.

Ich stehe inmitten einer französischen Reisegruppe, Frauen und Männer verschiedenen Alters,

die dem Geschehen mit belustigten oder befremde-
ten Blicken folgen. Einige lachen. Der Zug ist vor
dem Ehrenmal angekommen; es wird kommandiert,
präsentiert, salutiert, marschiert.

Hinter mir fragt eine Frau ihren um einen Kopf
größeren Mann, was die da vorne machen. »Faxen«,
sagt der Mann.

Die Kapelle spielt »Brüder zur Sonne zur Freiheit«.

Es war ein Jahr nach dem Krieg, als meine Mutter
mich zum ersten Mal zu einer Maidemonstration
mitnahm. Wir marschierten hierher, zum ehemaligen Lustgarten am östlichen Ende der Linden. Es
gibt ein Foto, auf dem sind sie und ich zu sehen
zwischen vielen anderen Leuten, mager und fröhlich
wie wir, Überlebende des Krieges, der Konzentrati-
onslager, der Emigration, der Illegalität, die alle
eines wußten: Nie wieder Krieg!

Auch damals sangen wir das Lied »Brüder zur

Sonne zur Freiheit«. Keinem von denen, die auf dem Bild zu sehen sind, wäre es eingefallen, sein Bekenntnis zum Frieden durch ein preußisches Militärzeremoniell zu bestärken.

Ein älterer Franzose vor mir singt einige Takte mit, bricht, als der Rhythmus in einen forcierten Marsch wechselt, ab. Dann ist alles vorbei, Tambourmajor, Kapelle, Soldaten marschieren durch die Universitätsstraße zurück in die Kaserne am Weidendamm. Die Seile werden eingerollt, die Linden für den Verkehr wieder freigegeben, bis zum nächsten Mittwoch.

Eine Gruppe westdeutscher Mädchen unterhält sich noch verwundert über die sportliche Leistung der Wachsoldaten, die reglos wie Wachsfiguren links und rechts vom Eingang des Ehrenmals stehen.

»Ist alles Disziplin und Training«, sagt ein Mädchen. Ein anderes verweist auf die Guards vor dem Buckingham-Palast, die schließlich Ähnliches zu vollbringen hätten.

»Die fallen aber auch um wie die Fliegen«, sagt die erste. Sie wirft noch einen mitleidigen Blick auf die Wachen, seufzt: »Die tun mir leid«, wendet sich dann entschlossen ab. »So«, sagt sie, »jetzt müssen wir noch zum Brandenburger Tor.«

Ehe wir sitzen, sind wir dreimal freundlich belehrt worden, und hätten wir es nicht ohnehin gewußt, wüßten wir es jetzt: Das »Roti d'Or« – was soviel heißt wie »Goldener Braten« – im Palasthotel ist ein Valutarestaurant, von den Bewohnern der Hauptstadt »Restaurant für Weiße« genannt, wobei sie selbst die Schwarzen sind, denn in der Währung, die sie verdienen, darf hier nicht gezahlt werden.

Aus der Straßenbahn,
Alte Schönhauser Straße, Mitte, 1998

Es ist Freitag, 18 Uhr, wir, das sind ein Historiker, eine Fotografin, ein Naturwissenschaftler und ich, sind die einzigen Gäste. Drei junge Kellner, alle nach '61 geboren, umwerben uns mit ungewohnter Aufmerksamkeit, preisen uns die exotischen Speisen und Getränke so lässig, als hätte man sie im Säuglingsalter schon mit Kiwi-Mus gefüttert. Wir verzichten auf einen Kir Royal, der uns als eine Spezialität des Hauses offeriert wird, und bestellen trockenen Sherry, bis auf den Naturwissenschaftler, einen fanatischen Biertrinker, der seine Trinkgewohnheiten auch der angestrengten Noblesse des Etablissements nicht unterwerfen will.

Durch das braungetönte Fensterglas sehen wir über die Spree auf den Dom und den Palast der Republik, Domizil der gesetzgebenden Körperschaft der DDR, der Volkskammer. Dem Hotel gegenüber steht das neue Marx-Engels-Denkmal, umgeben von weiteren bildkünstlerischen Dokumenten des Klassenkampfes, über deren Qualität wir uns gerade streiten, als der Ober die Krabbensuppe serviert. Hier oben, zwischen schwedischer Architektur, französischen Weinen und russischem Kaviar gerinnt, was mich angesichts der klinkenlosen Eisentür erschauern läßt, zur Groteske. Ein Stückchen Westen im Osten, der Eintritt ins Paradies kann erkauft werden, sofern man über harte Währung verfügt und bereit ist, ein beliebiges Nobelrestaurant als Paradies zu akzeptieren.

Das Palasthotel ist eins der beiden Valutahotels in der Hauptstadt. Demnächst kommt ein drittes hinzu, das Grand Hotel an der Friedrichstraße. Während die valutären Habenichtse aus dem eigenen Land und aus den Bruderländern es schwer haben, in Berlin ein Hotelzimmer zu finden, wird im Palasthotel – so sagt man – in den Wintermonaten

ein ganzer Trakt geschlossen, weil die devisen-
zahlenden Gäste ausbleiben. Es gehört dann zu den
Aufgaben des Personals, in den unbewohnten Zim-
mern morgens und abends das Licht an- und etwas
später wieder auszuschalten, um so wenigstens im
Straßenbild die Illusion eines weltstädtischen
Fremdenverkehrs zu vermitteln. Einen Sinn ergibt
das Ganze nur im Hinblick auf die Wortschöpfung:
Devisenrentabilität.

Von den Kellnern des »Roti d'Or« erzählt man
sich, daß sie den ganzen Tag über eine Wache für
den Eingang abstellen, derweil die übrigen in
einem Hinterraum Karten spielen. Ich frage den
Ober, der uns gerade den Wein einschenkt, ob das
der Wahrheit entspreche, und er antwortet mit
einem reizenden Lächeln: »Nein.«

Die Gäste an diesem Abend sind unauffällig:
Ehepaare, mehrere ältere Damen, die offenbar zu

einer Reisegruppe gehören, einige Herren, die aus-
sehen wie Geschäftsleute aus dem Nahen Osten.
An dem Tisch hinter uns unterhalten sich vier
Männer miteinander, von denen drei ein sächsisch
eingefärbtes Englisch sprechen, der vierte hat eine
etwas kehlige Aussprache. Wir nehmen an, daß
es sich bei ihnen um »Markgäste« handelt, die, wie
wir vom Kellner erfahren, hier angemeldet werden
– durch wen, erfahren wir nicht – und in Mark der
Deutschen Demokratischen Republik bezahlen
dürfen.

Wir erkundigen uns, was geschähe, würden wir
nach einem ausgiebigen Mahl bekennen, nur über
des Landes eigene Währung zu verfügen. Der Ober
lacht wie über einen Witz, und in seinen Augen
erglimmt Mißtrauen. Er wolle sich erkundigen, sagt
er, schließlich gehe es ums Geld, was den Historiker
zu der Frage veranlaßt, ob wir überhaupt wüßten,

daß dort, wo sich heute das Hotelfoyer befindet, früher einmal die Berliner Börse stand; und daß hinter dem Hotel, neben dem ehemaligen S-Bahnhof »Börse« – heute Marx-Engels-Platz – der Zirkus Busch sein festes Haus hatte, in dem sich im November 1918 die Berliner Arbeiter- und Soldatenräte versammelten. Übrigens hätte dann Ende Dezember 1918 der Reichskongreß der Arbeiter- und Soldatenräte in Berlin beschlossen, Wahlen zur Nationalversammlung abzuhalten und keine Sowjetrepublik zu errichten.

Inzwischen hat der Ober die gewünschte Auskunft eingeholt: Es sehe nicht gut aus für uns, man würde uns zum Direktor führen, der seinerseits die Polizei benachrichtigen müsse, denn es würde sich, für den Fall, daß wir wirklich …, um vorsätzlichen Betrug handeln.

Wir bestellen ein Heidelbeersorbet und bekommen es auch. Es schmeckt, wie das übrige Essen, vorzüglich.

Wir zahlen, zur offensichtlichen Erleichterung des Personals, in D-Mark. Der Fotografin und mir überreicht man, nach der Art des Hauses, je eine Rose.

Das Romantikerviertel – hier heißen die Straßen nach Tieck, Schlegel, Eichendorff – liegt in der Nähe des Oranienburger Tores, wo die Friedrichstraße in die Chausseestraße mündet. In der Novalisstraße findet man eine namenlose kleine Kneipe, von den Stammgästen »Jette« oder »Mehlwurm« genannt. »Jette" hieß die Kneipe früher einmal, nach ihrer ehemaligen Wirtin. Der Name »Mehlwurm« geht auf die gehässige Bemerkung eines trunkenen Gastes über das weißblonde Haar des jetzigen Wirts, Jettes Sohn, zurück. Ich selbst gehöre zur Mehlwurmfraktion. Hier kostet das Bier 58 Pfennig

Ehemaliger Mauerstreifen
(Nähe Gleimstraße), Prenzlauer Berg, 1991

und eine Portion Pökelfleisch mit Sauerkraut und Brot um die drei Mark.

An diesem Abend hat der Maler Makarov zu einem Umtrunk in den »Mehlwurm" eingeladen, weil der Verband Bildender Künstler ihn nach dreijähriger Kandidatenzeit nicht in seine Reihen aufgenommen hat. Wir wollen trinken und dann ein bißchen weinen, hat Makarov gesagt. Er ist gebürtiger Russe, seit seiner Jugend in Berlin ansässig.

Ich bin von der Makarovschen Trauergemeinde die erste und setze mich zu Doris an den Tresen. Doris, gelernte Blumenbinderin, stammt aus einer katholischen Enklave in Mecklenburg. Vor neun Jahren kam sie nach Berlin und zapft seitdem im »Mehlwurm« das Bier. Bis heute vermißt sie in der protestantischen Hauptstadt die schönen Prozessionen. »Hallo Moni«, sagt Doris. »Hallo Doris«, sage ich. »Na, ein Weinchen", fragt Doris, und ich sage »ja«.

Die Stammgäste sind hier, wie in den meisten Kneipen, Männer. Sie wohnen oder arbeiten in der Nähe, einige haben vor langer Zeit in einem der nahe gelegenen naturwissenschaftlichen Institute studiert; sie kennen sich seit 20 Jahren oder länger, nennen sich beim Vornamen, wissen über die Liebes-, Familien- und Scheidungsgeschichten des anderen Bescheid, tratschen übereinander, trinken miteinander – meistens bis zum bitteren Ende –, und ihre Sätze beginnen immer häufiger mit: »Mann, weißt du noch …«, »Kannst du dich erinnern …«

Zur Geschichte des »Mehlwurm« gehört die einer anderen Kneipe, die der legendären »Hundertsechzehn« und ihrer Besitzerin Gertrud Borschel, ehemals Wirtin der Reichstagskantine. Bei Trude verkehrten vorwiegend Studenten, angehende Chemiker, Mediziner, Physiker, aber auch Leute aus der Umgebung. Wolf Biermann, als er noch

gegenüber in der Chausseestraße 131 wohnte, saß
hin und wieder in der »Hundertsechzehn«, samt
seinen Bewachern. Als Trude Borschel 1977 starb,
zogen ihre Stammgäste mit Blumen, Kränzen und
mit – wie man mir erzählte – nicht nur vom Schnaps
geröteten Augen hinter ihrem Sarg her. Noch heute
pilgern sie zu ihrem Grab auf dem Dorotheen-
städtischen Friedhof, stoßen mit versonnenem Blick
einen kleinen Seufzer aus für Trude und für die
eigene verlorene Jugend, murmeln etwas wie:
»Ach ja, die alte Trude«, oder: »Da liegt sie nun.«
Später, wenn sie den Friedhof verlassen und von
der Chausseestraße in die Wilhelm-Pieck-Straße
Richtung »Mehlwurm« einbiegen, werfen sie
einen untröstlichen Blick auf den kahlen, längst
gepflasterten und mit Bänken ausgestatteten Platz
an der Wilhelm-Pieck-/Ecke Friedrichstraße, direkt
gegenüber der Ständigen Vertretung der Bundes-

republik, wo die »Hundertsechzehn« gestanden
hat, bis sie vor acht Jahren, ein Jahr nach Trude
Borschels Tod, eines Nachts abbrannte.

Die obdachlose Stammbelegschaft fand im
»Mehlwurm« Asyl. Vielleicht liegt es auch daran,
daß sich allabendlich, bis auf Sonnabend und Sonntag, Vertreter der verschiedensten Berufsgruppen
um den Tresen des »Mehlwurms« versammeln: Zim-
merleute, Artisten, Ärzte, Bauingenieure, Philologen,
Tischler, Künstler, die sich im Laufe der Jahre schon
manche praktische Lebenshilfe erweisen konnten.
Wer eine neue Badewanne, einen Zahnarzt, Auto-
ersatzteile oder etwas anderes schwer Beschaff-
bares braucht, kann sein Problem oft im »Mehlwurm« lösen, vorausgesetzt, er gehört zum enge-
ren Kreis. Die Künstler haben, wie immer, am wenigsten anzubieten, werden von den übrigen aber
wegen ihres Unterhaltungswerts geduldet.

Seit kurzem allerdings gewinnen sie, wenigstens die Maler unter ihnen, für den »Mehlwurm« an Bedeutung. Seit zwei, drei Jahren führen fast alle Wege durch das Berliner Zentrum über Baustellen, auch die zum »Mehlwurm«. 40 Jahre nach dem Krieg bekommen die Straßen wieder Ecken, werden Lücken zwischen den Häusern geschlossen, bis zur 750-Jahr-Feier im nächsten Jahr sollen im Stadtinnern über 40 neue Kneipen eröffnet werden, drei davon in unmittelbarer Nähe des »Mehlwurm«. Da der Wirt bislang nicht durch besondere Liebe zur Kunst, dafür durch soliden Sinn fürs Geschäft auf- gefallen ist, hat sicher, neben dem Drängen seiner kunstverständigen Kellnerin Alice, die zu erwarten- de Konkurrenz seinen Entschluß befördert, Grafiken an die Wände zu hängen und ein Schild ins Fenster: »Kunst bei Kauz« – so heißt der Wirt –, darunter, kleiner, der Name des Künstlers.

Der erste Maler, der im »Mehlwurm« ausgestellt hat, war Nicolai Makarov, der nun endlich eingetroffen ist, um mit seinen geladenen Gästen die neuerliche Schmähung durch den Verband im Wein zu ersäufen. Demnächst läuft seine Zeit als Meisterschüler an der Akademie der Künste ab, dann wird er wieder Hausmann. Wir versichern ihm, daß wir fest an ihn glauben, daß er in fünf, in zehn, spätestens aber in 15 Jahren im New Yorker Museum of Modern Art hängen wird, wie schon der Maler Penck aus Dresden, den sie hier auch nicht haben wollten. Darauf trinken wir.

Am Nebentisch sitzt eine junge Frau mit pflaumengroßen Plastikgehängen an den Ohren und klärt die Umsitzenden, unter ihnen die Kellnerin Alice, die heute einen freien Abend hat, mit gellender Stimme über das Feminine im Mann auf, wobei sie alle paar Sätze eine englische Floskel zwischen ihr reines Berlinisch wirft: »Okay, okay, listen to me«, oder auch: »Fuck up.« Alice sagt, das sei Corinna aus dem Kreuzberg, die Freundin von dem da, der früher mal ihr, Alices, Freund war.

»Ein Mann im Osten ist das Beste, waste haben kannst«, sagt Corinna aus dem Kreuzberg, das sei den Westfrauen total klar. »Du kommst nur, wann du willst, er kann nichts kontrollieren. Okay?« Ihr Ostfreund stimmt ihr zu: Darin läge die ausgleichende Gerechtigkeit in der traditionell un-gerechten Beziehung zwischen den Geschlechtern.

Alice sagt zu einem fast 50jährigen Mann, er sähe aus wie eine bestimmte Madonna in Prag.

Es ist Nacht.

1986

Geburtsort Berlin

An einem sehr warmen Frühlingstag vor dreiund-
vierzig Jahren habe ich zum ersten Mal gedacht,
daß ich die Stadt, in der ich geboren wurde und fast
alle Zeit meines Lebens verbracht hatte, liebe. Ich
fuhr mit der Straßenbahn der Linie 46 in Richtung
Friedrichstraße, und gleich nach der Kurve von der
Invalidenstraße in die Chausseestraße, während ich
durch das Rückfenster des letzten Wagens auf den
heißen Asphalt dieser häßlichen, vom Krieg verun-
stalteten Straßenkreuzung sah, überkam mich ein
mir bis heute unerklärliches, gleichermaßen beun-
ruhigendes wie beglückendes Gefühl, für das nur
das Wort Liebe zuständig sein konnte. Ich sah auf
die verdreckte Asphalthaut der Chausseestraße und
dachte, daß ich sie umarmen wollte, mich mit aus-
gebreiteten Armen flach auf die Straße legen und
die Straße, die Stadt umarmen. Ich wohnte damals
für ein Jahr in Dresden, wo ich als Fräserin im Flug-

zeugwerk Klotzsche arbeitete. An fast jedem
Wochenende trampte ich nach Berlin. Warum mir
ausgerechnet dieser eine Augenblick in der Straßenbahn Invaliden- Ecke Chausseestraße als mein
Liebesbekenntnis zu Berlin in Erinnerung geblieben
ist, kann ich nicht sagen. Vermutlich war ich damals
eher unglücklich als glücklich, so daß mein stum-
mer Gefühlsausbruch kaum der Ausdruck welt-
umspannender, für die häßlichsten Winkel ausrei-
chender Lebensfreude gewesen sein dürfte, sondern
eher ein Erkennen und die Zugehörigkeit zum
Erkannten. Ich hatte mir nie vorstellen können,
nicht Berlinerin zu sein, sondern Leipzigerin oder
Greifswalderin, vielleicht sogar Eberswalderin oder
Hohenselchowerin. Nicht in einer Hauptstadt
geboren zu sein, hielt ich für ein zweitklassiges
Schicksal, selbst wenn es sich um die Hauptstadt
eines lächerlichen Staates handelte. Ich habe es

der Stadt auch nie angelastet, daß sie unter die Bar-
baren geraten war, die sie verkommen ließen und
verschandelten; es erging der Stadt ja nicht anders
als uns selbst. Wäre Berlin eine Person gewesen,
hätte sie zu uns gehört und nicht zu denen.

Wenn mich jemand fragt, ob ich gern in Berlin
lebe, antworte ich meistens: Ich bin Berlinerin; und
meistens geben sich die Fragesteller mit dieser
Antwort zufrieden. Entweder setzen sie voraus, daß
jeder Berliner unbedingt gern in seiner Stadt lebt,
oder, was von ihrer Verständigkeit zeugte, sie wissen,
daß in solchem Fall die Frage ebenso ins Paradoxe
mündet wie die, ob man gern das Kind seiner Eltern
sei, weil man eben ist, was man ist; oder man ist
nicht.

1988 zog ich nach Hamburg und lebte zum ersten
Mal ohne das Versprechen auf Rückkehr in einer

fremden Stadt. Es war Frühsommer und Hamburg war sehr schön mit seinen weißen Häusern, den wuchernden Rhododendronbüschen, dem verheißungsvollen Geklingel der ankernden Segeljachten, mit den vielen Brücken über den Alsterkanälen, und ich war glücklich, in einer so schönen Stadt zu wohnen. Das Bild vom grauen, albtraumhaft zerbröselnden Ost-Berlin sank unter der Hamburger Pracht wie ein Schutthaufen in sich zusammen. Trotzdem erinnere ich mich genau an das seltsame Gefühl, mit siebenundvierzig Jahren plötzlich in einer Stadt zu leben, in der keine Straße eine Erinnerung für mich bereithielt und kein erleuchtetes Fenster mir etwas bedeutete. Die Stadt war leer von mir, was mich an manchen Tagen berauschte und an anderen erschreckte.

Pariser Platz, Mitte 1993

Berlin hingegen ist von mir bevölkert. In Berlin könnte ich mich, wenn ich es darauf anlegte, hundertmal am Tag treffen, in jedem Alter, glücklich oder heulend, allein, in Gesellschaft, verliebt, verlassen, überall hocke ich und warte darauf, daß ich vorbeikomme. Ich müßte nur in einer Sommernacht, morgens gegen vier, durch die Schönhauser Allee laufen, dann könnte ich sehen, wie ich, etwas trunken, glaube ich, neben einem jungen Mann, ich weiß nicht mehr welchem, eine Flasche Milch aus einem der angelieferten Kästen vor einem Lebensmittelgeschäft nehme, nicht ohne das Geld anstelle der Flasche zu hinterlassen, und die Milch im Weitergehen trinke. In der Nacht hatte es geregnet. Die Straße unter meinen nackten Füßen ist warm und glitschig vom regenfeuchten Staub. Die Sandalen hängen am Zeigefinger meiner linken Hand. Wenn ich nach meinen liebsten Orten in

Berlin befragt würde, müßte ich unbedingt die Schönhauser Allee nennen, an einem Sommermorgen gegen vier, zwischen Stargarder- und Milastraße. Aber wer sollte das verstehen?

Auf der Monbijou-Brücke vor dem Bode-Museum kann ich mir zu allen Jahreszeiten begegnen. Ich lehne an dem bauchigen Geländer oder sitze auf den Stufen, rauche eine Zigarette und blicke westwärts über die Spree auf die Fewa-Leuchtreklame an der Brücke zwischen Bahnhof Friedrichstraße und Schiffbauer Damm: die rot-blau-gelben Neon-Umrisse einer runden Frau mit Dutt, die in einem Zuber Wäsche wäscht und dabei kleine Seifenblasen in die Luft jagt. Ich war gerade im Theater, allein, habe zum fünften Mal den »Galilei« oder den »Guten Menschen von Sezuan« gesehen (zweiter Rang, Stehplatz für fünfzig Pfennige), ich fühle mich

auserwählt, weil ich zum fünften Mal den »Galilei«
oder den »Guten Menschen von Sezuan« gesehen
habe, weil ich vier Stunden oder länger stehend
ausgeharrt habe, weil ich allein bin, vor allem weil
ich allein bin. Ich bin siebzehn oder achtzehn oder
zwanzig Jahre und weiß, daß der Mensch einsam ist
in seinem Leben.

Auf der anderen Seite der Linden, am Hausvogtei-
platz, lag meine Schule, das Berlinische Gymnasium
zum Grauen Kloster und spätere 2. Oberschule
Mitte, ein gefängnisähnlicher Klinkerbau, die
Klassenzimmer um einen Lichthof angeordnet,
in Nachbarschaft des katholischen St.Josephs-
Krankenhauses, aus dem an jedem Freitag ekliger
Fischgeruch in unsere Klassenzimmer zog. Es ist
gerade Pause, am Rand des Schulhofs stehen kleine
Gruppen, Jungengruppen, Mädchengruppen, die

meisten laufen langsam im Kreis um den Hof. Ich
kann mich nicht finden, ich bin krank oder schwänze
die letzten Stunden und sitze statt dessen mit einer
Freundin auf einer der Treppen an der Spree, wo wir
über die Liebe sprechen oder über das Theater. Ihre
Mutter arbeitet am Theater, der Glanz fällt auch auf
ihre Tochter, ein matter Abglanz noch auf mich,
wenn ich mit ihr über das Theater spreche.

Zwei Minuten Fußweg von der Schule entfernt
war der Niquet-Keller, den wir Nicki-Keller nannten
und in den schon Napoleon eingekehrt sein sollte.
In dem trüben Licht, das die alten Bleiglasfenster
von außen in den Raum lassen, finde ich an einem
Tisch in der rechten Ecke mich mit einer anderen
Freundin. Wir haben denselben Vornamen. Auf dem
Tisch liegt eine kleine flache Tüte mit sechs Zigaret-
ten der Marke Jubilar, die man einzeln kaufen kann.
Wir trinken Faßbrause und überlegen, was wir trin-

ken könnten, wenn wir mit einem Jungen aus-
gehen. Brause ist uns peinlich, Bier schmeckt uns
nicht. Meine Freundin sagt, sie hätte neulich einen
Kaffee bestellt. Kaffee kommt uns richtig vor.

Kurz nach meiner Schulzeit, als der ganze
Fischerkiez Hochhäusern weichen mußte, wurde
der Niquet-Keller in die Taubenstraße deportiert
und hieß, weil er nun nicht mehr im Keller lag,
Niquet-Klause. Die gibt es inzwischen aber auch
nicht mehr.

Vieles gibt es nicht mehr. An den alten Alexander-
platz kann ich mich selbst dann nur mit Mühe
erinnern, wenn ich ihn auf Postkarten sehe. Er war
einmal ein richtiger Platz, von unzähligen gefähr-
lichen Straßenbahnen durchkreuzt. Da, wo einmal
die Markthalle stand, gleich am Eingang, treffe ich
mich an der Hand meiner Tante Marta, die mir
gerade eine Tüte mit roten Krebsen kauft, fünf

Pfennige das Stück. Ich will die Krebse nicht essen, ich will mit ihnen spielen. Es ist Sommer, kurz nach dem Krieg. Das fiel mir ein, als ich dreißig Jahre später meinem Sohn einen Schweinefuß kaufen mußte, mit dem *er* spielen wollte.

Mit den Jahren schwindet das Schöne aus den Bildern. Vielleicht fiel mir mit den Jahren auch nur seine Abwesenheit auf. Woher sollte das Schöne vorher gekommen sein? Aus den Trümmern? Aus der Nachkriegsarmut? Vielleicht aus dem Frieden, den ich ja erst kennenlernte. Die Frage, wofür ich das Leben wohl gehalten hätte, wenn der Krieg zwanzig oder dreißig Jahre fortgedauert hätte, wie später in Vietnam oder im Nahen Osten, und wenn ich vor seinem Ende gestorben wäre, diese Frage beschäftigt mich schon lange. Hätte ich dann geglaubt, das Leben sei Krieg? Oder hätte ich trotzdem geahnt, was Frieden ist? Und woher sollte jemand, der nie eine schöne Stadt gesehen hat, wissen, was eine schöne Stadt ist? Dann ist eben schön, was schöner ist als etwas anderes. Eine halbzerbombte Straße ist schöner als eine ganzzerbombte Straße. Ruinen, aus denen Bäume wachsen, sind schöner als Ruinen, aus denen keine Bäume wachsen. Vielleicht so.

Später, als ich mir ein Bild von einer schönen Stadt gemacht hatte, aus Büchern, Filmen, weil ich Prag und Budapest gesehen hatte, mußte ich zugeben, daß meine Stadt alles mögliche war, groß, interessant, von unzähligen Seen und lieblicher Landschaft umgeben und von einem berüchtigten Menschenschlag bewohnt, aber schön war sie nicht, gewiß auch nicht, ehe sie zum Krüppel bombardiert wurde. Mit dem Verschwinden der Ruinen, die in Grünflächen und Parkanlagen verwandelt oder

durch Neubauten ersetzt wurden, verlor die Erinnerung an die unversehrte Stadt ihren letzten Halt,
und was der Krieg nicht zerstört hatte, verkam im
Frieden, jedenfalls in meinem Teil der Stadt, im
Osten. Baufällige Balkone wurden abgerissen, defek-
te Straßenuhren waren eines Tages verschwunden
und wurden nie ersetzt, der Putz an den Häusern
verfärbte sich mit der Zeit grau und schwarz, oder
er fiel in großen Brocken auf die Bürgersteige, jeder
Winter riß Löcher in die Straßen, die im Sommer nur
notdürftig repariert wurden. Man konnte glauben,
irgendwann würde sich das brüchige Pflaster der
Schönhauser Allee plötzlich öffnen und die
Menschen, Autos, Straßenbahnen auf ihr einfach
verschlucken.

Unter der S-Bahnbrücke in der Pankower Wollank-
straße verlief die Grenze zwischen Ost- und West-

Berlin. Ein einziges Mal habe ich es gewagt, sie zu überqueren, vor den Augen der anderen Menschen, die gerade ost- und westwärts durch die Brücke liefen und mich hätten kennen können. Als Kind meiner Eltern war ich mit »Westverbot" belegt und wurde sogar von den Flugblatt-Einsätzen der FDJ ausgeschlossen. Ich verstecke mich in meinem hochgeschlagenen Mantelkragen, mein Herz schlägt so laut, daß ich fürchten muß, der Polizist, der unter der Brücke den Ausweis jedes dritten oder fünften oder siebenten Grenzgängers kontrolliert, könnte es hören. Was will ich auf der anderen Seite? Ich sehe mir nach, wie ich hastig in den Westen hineinlaufe, vorbei an den Ramschbuden in Richtung Badstraße, und im Menschengewühl verschwinde.

1961 wurde die Brücke ein Bestandteil der Mauer. Die letzte Querstraße vor der Grenze zur rechten

Seite heißt Schulzestraße, zur linken Seite Brehme-
straße. Die zum Osten gehörigen Westseiten beider
Straßen waren Sperrgebiet und durften nur mit
Passierscheinen betreten werden. Der Blick auf die
S-Bahn-Anlage hinter den Häusern bedurfte der
behördlichen Genehmigung. Mitte der achtziger
Jahre, als ich für ein Jahr reisen durfte, habe ich eine
Schulfreundin meiner Mutter besucht, die auf westlicher Seite gleich hinter der Brücke wohnte. Ich
brauchte eineinhalb Stunden, um mit der Straßenbahn in die Friedrichstraße, von dort zum S-Bahnhof
Wollankstraße zu fahren und da anzukommen, wo
ich aufgebrochen war, in Pankow, genauer: zehn
Meter hinter Pankow. Ich stehe oben auf dem Bahn-
steig und sehe in die Schulzestraße, in der meine
Freundin K. wohnt, auf der östlichen Seite. Ich hoffe,
daß sie in diesem Augenblick aus dem Haus kommt
und ich ihr winken kann, aber sie kommt nicht. Ich

S-Bahnhof Schönhauser Allee,
Prenzlauer Berg, Frühjahr 1990

drehe mich um und sehe in den Westen, wo die Wollankstraße einfach weitergeht, was ich fast vergessen habe.

Ein paar Jahre später, im November, kann ich mich zum dritten Mal an der Brücke treffen. Inmitten einer Gruppe von vierzig oder fünfzig Leuten stehe ich mit einem blödsinnig seligen Ausdruck im Gesicht und sehe den Arbeitern zu, wie sie mit Preßluftbohrern und anderem Gerät die Mauer demontieren. »Das wird heute nichts mehr«, schreit einer der Arbeiter uns zu. Wir bleiben alle stehen, wir wollen nicht durch die Brücke gehen, wir könnten ja über die Bornholmer Straße oder andere Übergänge, die schon geöffnet sind; wir wollen sehen, wie das Ende der Welt Meter für Meter abgetragen wird. Die meisten Zuschauer sind so alt wie ich und haben schon zugesehen, wie die Straße und alle Ziele, zu denen sie führte, hinter dem

Beton verschwanden. Der Mann neben mir mit dem Kind auf den Schultern lächelt mich an, ich lächle zurück. Jeder, der auf den Blick eines anderen trifft, lächelt ihm zu. Einige der Umstehenden kenne ich, andere kommen mir bekannt vor. Es ist gleichgültig, wer wir sind und was wir bisher getan haben in unserem Leben, in diesem Augenblick verbindet uns alle bodenloses Glück. Für jeden, der das nicht erlebt hat, ist die S-Bahnbrücke in der Wollank-straße, unter der die Stadtbezirke Wedding und Pankow aneinander grenzen, ein schäbiger, häß-licher Ort, den man nur betritt, um ihn mit dem nächsten Schritt schnell zu verlassen.

Unsere mythischen Erinnerungen wurzeln in An-fängen, darum so oft in der Kindheit und Jugend, wenn alles Anfang ist und nichts Alltag, wenn jeder Tag noch ein erstes Mal beschert, den ersten Kaugummi, das erste Buch, die ersten Stöckelschuhe, das erste Konzert, die erste Zigarette. Seit zehn Jahren wohne ich in Schöneberg, aber meine eindrücklichsten Bilder vom Westteil Berlins stammen aus der Zeit, in der die Mauer noch stand. Ich überquere den Tauentzien am Wittenbergplatz, auf dem Mittelstreifen bleibe ich stehen und sehe nach rechts, eigentlich nur, um eine Lücke zwischen den vorbeifahrenden Autos zu finden. Es ist ein später Nachmittag oder früher Abend im Herbst, die Schaufenster sind schon beleuchtet, am anderen Ende der Straße behauptet die Gedächtniskirche ihre symbolische Wichtigkeit. Wie ein schwarzer Wächter dominiert sie das Bild, und ich denke, daß die Straße, das Licht, die Kirche nicht für mich da sind, daß ich nicht reingehöre in dieses Bild, weil mein Visum am ersten Oktober abläuft. Gefahren bin ich dann doch erst am zweiten Oktober, den wir, das heißt alle, die an diesem Abend um den Küchentisch meiner Freundin E. saßen und unsere Weh-mut im Wein badeten, den DZO tauften, den Denkwürdigen Zweiten Oktober. Auf dem U-Bahn-hof Spichernstraße, wo außer uns niemand auf den letzten Zug in Richtung Zoo wartete, sang ich den anderen noch ihr Lieblingslied von mir vor; obwohl ich viel zu heiser war vom Rauchen und Trinken und lautem Reden in den Kneipen, sang ich durch den hallenden Bahnhof das Lied von dem schweig-samen Jüngling, auf russisch: Na sakatje chodit pa-ha-rjen ...

Und an eine frühere Nacht erinnere ich mich genau, als ich während einer Autofahrt durch Kreuzberg plötzlich eine Straßenkreuzung sah, die einer Kreuzung im Prenzlauer Berg zwillingshaft glich, und daß ich kurz darauf die Warschauer Straße zu erkennen glaubte und überhaupt zum

Monbijoubrücke, Mitte, 1993

ersten Mal wirklich begriff, daß die beiden Teile
der Stadt ein Ganzes waren, daß ihre Glieder zum
selben Körper gehörten. Nachts, wenn die Dunkel-
heit die Farben schluckte und nur die grauschwar-
zen Konturen der Straßenzüge und Silhouetten der
Häuser sich aus dem Dunkel abhoben, offenbarte
die Stadt, was mir am Tag unter den heilen Fassa-
den, den grellen Reklametafeln und hinter den
prunkvollen Schaufensterauslagen verborgen
geblieben war.

Inzwischen sind die gekappten Verbindungen
zwischen den beiden Teilen längst wieder verbun-
den und die Mitte der Stadt gehört wieder allen.
Aber immer noch, wenn ich über eine der Linien
fahre, auf denen einmal die Mauer stand, überkommt mich ein seltsam heiligmäßiges Gefühl.
    Obwohl meine Wohnung und mein bevorzugtes

Restaurant im Westen liegen und die meisten meiner Freunde, auch die früher im Osten wohnten, dort leben, wird der Ostteil Berlins mir wohl immer vertrauter bleiben. Warum ich diese Vertrautheit eher fliehe als suche, werde ich vielleicht in zehn Jahren wissen. Alle Antworten, die mir jetzt einfallen, glaube ich nicht.

Städte, in denen ich für ein paar Tage oder Wochen war, haben Bilder in meinem Gedächtnis hinterlassen, eingeprägte Augenblicke, die wie Fotografien gespeichert sind. Berlin hingegen ist ein Raum, ein großer halbdunkler Raum, durch den Gerüche und Geräusche ziehen; mal hier, mal da, plötzlich beleuchtet, erscheinen Szenen und zerfließen wieder, Stimmen klingen auf, deutlich und unwirklich wie in einem Traum, werden von ungebetenen Geräuschen übertönt, bis sie verstummen.

Das Gesetz, nach dem ich mich erinnere, kann ich nicht erkennen. Scheinbar zufällig und unerwartet werfen die Mauern, nur für mich hörbar, ein mattes Echo meines Lebens zurück.

2003

Die Reichstagsverhüllung

1984, als Michael S. Cullen, Christos Stellvertreter in
Berlin (natürlich auch der Stellvertreter von Jeanne-
Claude, aber davon war damals nicht die Rede),
mir zum ersten Mal etwas von Christos Reichstags-
verhüllungsplänen erzählte, konnte ich daran, wenn
ich mich richtig erinnere, nichts Absonderliches
finden. Die Absurdität der Berliner Mauer war nicht
zu überbieten, nur zu ergänzen, und ein leerstehen-
des Parlamentsgebäude in ihrem Schatten mit
Laken zu verhüllen, erschien mir nur folgerichtig.

1994, als die Verhüllung oder Nichtverhüllung des
Reichstages zu einer nationalen Identitätsfrage
angeschwollen war, die nach einer Bundestags-
entscheidung verlangte, erschien es mir lächerlich,
nach dem Pont Neuf, der kalifornischen Küste und
einigen Inseln im Pazifik auch noch den kleinen
Reichstag zu verpacken.

Als es nun endlich soweit war, fand ich mich eher

auf der Seite der Skeptiker, auch weil mich der Ton der Diskussion: entweder für Christo oder Nationalist und Spießer, dahin gedrängt hatte.

Hier schreibt eine Bekehrte. Es ist schön, es macht Spaß, seit Christo den Reichstag verhüllt hat, ist Berlin eine andere Stadt. Sie hatte es nötig. Dabei ist es gleichgültig, ob der Reichstag schön ist oder häßlich, ob er diese oder eine andere Geschichte hat, ob er verfremdet wird oder nicht. Wer im Berliner Zentrum derzeit etwas verfremden will, beläßt es am besten, wie es ist. Christo hat den Reichstag verpackt, und seine Botschaft heißt: Kommt her, kommt alle her.

Berlin hat plötzlich einen Marktplatz, sagt M. Es erinnert an ein Leichentuch, sagt C. Als wäre ein Ufo gelandet, sagt K. Ein gigantisches Spielzeug, sage ich. Jeder kann finden, was er sucht, und darf vergessen, was Zeitungen und Fernsehsender ihm

Reichstag, Mitte, 1992

als Rüstzeug für den bevorstehenden Kunstgenuß wochenlang eingebleut haben.

Nur mein Freund, der Maler Makarov, schweigt. Wahrscheinlich denkt er darüber nach, warum dem einen erlaubt wird, ein ganzes Parlamentsgebäude unter Stoff verschwinden zu lassen, während er seinen wunderbaren venezianisch-roten Makarov-Raum gerade mal im Kröchlendorffer Schloß einrichten darf, obwohl man in jedem Reihenhaus einen Platz dafür finden könnte, vorausgesetzt, es wohnen kunstsinnige Leute darin.

Christos symbolträchtige Aktion mußte, solange sie nur als Idee existierte, viel Sinngebung über sich ergehen lassen, was insofern sinnlos war, als ihr der eine Sinn so gut unterstellt werden konnte wie der andere. Ob der Reichstag durch die Verhüllung aufgewertet oder abgewertet würde, ob er auf die Art wenigstens vorübergehend endlich verschwinden oder gerade sichtbar werden würde, lag im Belieben des jeweiligen Wortführers. Daß der verhüllte Reichstag, wenn es ihn einmal gibt, selbst Sinn stiftet wurde wohl am wenigsten vermutet.

In seiner seltsamen Verkleidung steht er da und erwartet die Einfälle seiner Betrachter; ein kolossales A, das den Rest des Alphabets herausfordert. Die einen singen, andere trommeln, noch andere jonglieren, manche küssen sich, die meisten fotografieren. Nachts kann man sich als Riesenschatten von den Scheinwerfern auf dem Portal abbilden lassen, und wer dabei einem anderen auf die Schultern klettert, steigt mühelos übers Dach.

Am Sonntag wurde im Radio gemeldet, in den frühen Morgenstunden hätten Scharen nächtlicher Besucher die Absperrung zur Westfassade durchbrochen, was die Ordnungskräfte das

Schlimmste befürchten ließ. Dabei hatte diesen Sturm auf den Reichstag nur unbezähmbare Neugier entfacht.

Sie wollten es anfassen, sagte einer der Ordnungshüter. Der Drang, es anzufassen, wie Kinder ein Tier oder etwas Unbekanntes betasten und befühlen wollen, überkommt offenbar jeden, mich auch.

Die gute Laune, die das Ding verbreitet, entspringt dem reinen Übermut. Jemand ist einer fixen Idee vierundzwanzig Jahre treu geblieben, um uns am Ende diese schöne und glitzernde Sinnlosigkeit auf die Wiese zu stellen. Wenn das möglich ist, muß noch mehr möglich sein.

Es scheint, als hätte Berlin diese Botschaft des Leichtsinns sehnsüchtig erwartet. Die Stadt, der die verschonten Vorstadtbewohner der übrigen Republik die längst gestrichenen Subventionen neiden und ihr Larmoyanz vorwerfen, ohne zu ahnen, wie es sich jenseits der eigenen wohlgefügten Ordnung lebt, wird durch die Pflicht zur Vereinigung strapaziert wie keine andere. Nicht nur die PDS hat ihr Zentrum in Berlin, sondern auch die russische und asiatische Mafia. Was aus dem Osten kommt, strandet hier; viel Gutes ist zur Zeit darunter nicht zu entdecken. Berlin ist dabei, den Rest seines ohnehin umstrittenen Charmes zu verlieren.

Plötzlich steht inmitten der mißmutigen Umtriebigkeit, verlockend und flüchtig wie eine Fata morgana, Christos verhüllter Reichstag, und die Berliner tun etwas, das zu erlernen der Senat seinen öffentlich Bediensteten vergeblich Fortbildungskurse verschrieben hatte: sie lächeln. Alles, was man ihnen vorwirft, nicht zu sein, sind sie innerhalb der Bannmeile um den Reichstag: großstädtisch, friedfertig, gelassen, sogar höflich, als benutzten sie die Verhüllung als Projektionsfläche für alles, was sie an ihrer Stadt und an sich selbst vermissen. Berlin hat aus der Reichstagsverhüllung ein Fest gemacht, weil es ein Fest brauchte. Hätte es einen Skandal gebraucht, wäre es vielleicht ein Skandal geworden.

Soviel verströmende Harmonie ist einigen Menschen natürlich verdächtig, und so kann sich jemand wie ich zum zweiten Mal der Spießerei bezichtigt finden; zum ersten Mal, weil ich kein Anhänger der Verhüllung war, und jetzt, weil sie mir gefällt.

1995

Senefelder Platz, Prenzlauer Berg, 1993

Mein Postamt

Während der Berliner Reichstag in seiner Verkleidung schön und glitzernd auf der Wiese zwischen Brandenburger Tor und Spree stand, konnte man hoffen, von jetzt an sei es mit der Mißlaunigkeit der Berliner vorbei. Ab jetzt, konnte man glauben, wissen sie wieder, was sie tun und wie sie sein müssen, damit es sich in ihrer Stadt leben läßt wie in Hamburg, Köln oder Frankfurt. Plötzlich schien es möglich, gegen die schlechten Nachrichten über die russische und asiatische Mafia, über zu erwartende Wählerstimmen für die PDS anzuleben. Selbst die Fusion mit den Brandenburgern ließ sich anders vorstellen als die endgültige Verostung Westberlins. Zwei Wochen simulierte Berlin weltstädtisches Leben mit weltstädtischen Bewohnern. Sogar die Ladenschlußzeiten gerieten ins Wanken. Nichts, dachte ich, wird nach Christo sein wie davor.

Bis ich es nicht vermeiden konnte, die Dienste

meines Postamtes in Anspruch zu nehmen. Ich
würde hier nicht darüber sprechen, dürfte ich
glauben, mein Postamt sei einzigartig schlecht. Da
mir aber, sobald ich irgendeinem Menschen von
meinem Postamt erzähle, derjenige sehr ähnliche
Geschichten von seinem Postamt erzählt, was zwar
an der Schlechtigkeit unserer Postämter nichts
ändert, allen Klagenden aber die Herzen erleichtert,
beschreibe ich auch Ihnen einmal, wie es auf
meinem Postamt so zugeht. Ich will mich gar nicht
dabei aufhalten, daß natürlich die meisten Schalter
geschlossen sind und vor den beiden geöffneten
lange Schlangen stehen, das ist wohl normal. Aber
die Damen, es sind meistens Damen, hinter der
Glasscheibe verdienen eine genauere Beschreibung.
Fast alle haben diesen besonderen Blick, der den
Kunden darüber aufklärt, daß sein Begehren als
lästig, geradezu aufdringlich empfunden wird,

daß seine Wünsche nur widerwillig erfüllt werden und daß er im Fall der Beschwerde Gefahr läuft, gar nicht bedient zu werden. Natürlich ist mir dieser Blick gut bekannt, denn ich komme aus dem Osten, wo jeder, der etwas zu vergeben hatte, was andere unbedingt brauchten, genauso guckte.

Obwohl dieser Blick in mir schmerzliche Erinnerungen an vierzig Jahre seelischer Mißhandlungen durch Verkaufs- und Vergabepersonal wachruft, muß ich doch froh sein, wenn die Dame hinter der Glasscheibe in meinem Postamt den ihren mir zuwendet, weil ich dann sicher sein kann, daß sie meinen Wunsch, der eine Brief möge per Eilboten, der andere hingegen per Einschreiben befördert werden und nicht umgekehrt, auch wirklich zur Kenntnis nimmt.

Es kommt aber auch vor, daß sie sich, statt mir ihren ungnädigen Blick zuzuwenden, mit einer ihrer

Kolleginnen unterhält, die mit einer Tasse Kaffee in der Hand den Gang hinter den Schaltern entlangschlendert und, weil sie gerade ein schönes Wochenende hinter sich oder vor sich hat, ihre Freude oder Vorfreude mit meiner Schalterdame teilen möchte. In meinem Postamt herrscht offenbar ein angenehmes Betriebsklima, das man durch Außenstehende nicht ohne weiteres beeinträchtigen läßt. Die Kolleginnen nehmen einander auch leidenschaftlich in Schutz, falls es doch einmal zu verbalen Ausschreitungen durch Kunden kommt.

Kürzlich erregte ein Herr Unwillen, weil er ein dreiseitiges Fax aufgeben wollte. Das Faxgerät steht in einem anderen Raum, so daß die Beamtin extra aufstehen und sogar die Schalterhalle verlassen mußte und erst nach zehn Minuten zurückkam, was auch die übrigen Kunden verständlicherweise gegen den Herrn mit dem Fax aufbrachte. Als der Herr dann auch noch wissen wollte, warum ein dreiseitiges Fax dreizehn Mark und fünfzig kosten sollte, und er sich mit der Antwort, es handele sich schließlich um eine Dienstleistung, nicht zufrieden geben wollte, sondern behauptete, auch der Telefondienst sei eine Dienstleistung, ohne daß sie mit einem dreihundert- oder fünfhundertprozentigen Aufschlag belegt werde, wurde natürlich auch die Kollegin am Nachbarschalter ärgerlich. Schließlich könne der Herr auch zum Bahnhof Zoo fahren da sei es billiger.

Ich frage mich, wie es möglich ist, daß es auf einem Postamt in Schöneberg oder Wilmersdorf haargenau so zugeht, wie es auf dem Wonungsamt in Pankow oder im Centrum-Warenhaus am Alex zugegangen ist, als dort noch der Staat der Arbeiter und Bauern herrschte, was die orts- und zeitüblichen Umgangsformen wenigstens erklärte. Da vor allem die Arbeitsbedingungen der Werktätigen zu erleichtern waren, konnte der jeweils Werktätige mit jedem im Moment gerade nicht werktätigen Bittsteller umgehen, wie es ihm für die zubeanspruchende Erleichterung seiner Werktätigkeit angemessen schien. Wenn der Bittsteller einige Stunden später selbst wieder werktätig war, durfte er genauso verfahren und so weiter. Wie die Sache ausging, ist bekannt.

Mein Postamt steht aber in Westberlin, und ich kann nicht glauben, daß alle, die dort arbeiten, aus dem Osten sind. In dem Wort »Post« ist zwar das komplette Wort »Ost« enthalten, aber eine Erklärung ist das auch nicht.

Manchmal bedaure ich, daß ich niemals Sehnsucht nach der alten DDR habe, weil keine Sehnsucht so leicht zu stillen wäre wie diese. Ich müßte nur um die Ecke auf mein Postamt gehen.

1995

Die Berliner und die Hunde

Berlin ist bekannt für seine Kneipen, seine Hunde, die berüchtigte Berliner Schnauze und natürlich für die Mauer, die es aber nicht mehr gibt.

Die Kneipen, die Hunde und die Schnauze gehören irgendwie zusammen, obwohl es sich bei der Schnauze keineswegs um eine Hundeschnauze handelt, sondern um den verbalen Ausdruck dessen, was das Wort bezeichnen soll: den Berliner Charme, der erst im Dunst der vertrauten Eckkneipe, inspiriert vom Gurgeln und Zischen des Zapfhahns, seinen wahren Witz entfaltet.

Der Berliner ist tierlieb, ganz besonders hundelieb, weshalb die Stammkundschaft der meisten Kneipen nicht nur aus Menschen, sondern auch aus deren Hunden besteht. Und da man zum Zapfen eines ordentlichen Bieres angeblich sieben Minuten braucht, wird der Hund nicht selten vor seiner Herrschaft bedient. In den besseren Restaurationen wird ihm das Wasser mit einem Mohrrübenstift oder einem Petersilienblatt dekoriert, obwohl Besitzer und Kellner selten Berliner, vielleicht nicht einmal hundelieb sind. Aber eher dürfte ein Gastwirt in der deutschen Haupt- und Regierungsstadt seine Feindschaft gegenüber dieser oder jener oder jeglicher Partei bekennen, als daß er es wagen könnte, seinen Abscheu gegen Hunde zu offenbaren, weil der Verdacht, wer kein Tierfreund ist, sei vielleicht auch kein Menschenfreund, selbst die Nicht-Hundebesitzer unter seinen Gästen befallen könnte, auch wenn ein Sprichwort das Gegenteil besagt. Seit ich die Menschen kenne, liebe ich die Tiere, heißt es, was ja auch bedeuten kann, daß jemand, der die Tiere nicht liebt, sein Vertrauen in die Menschen noch nicht aufgegeben hat.

Ich weiß nicht, ob die Berliner einander mehr Enttäuschungen bereiten als die Bewohner anderer

Leipziger Platz (mit Blick auf den Potsdamer Platz), Mitte, 1992

Städte oder ob die Zuwanderer aus den schlesischen und pommerschen Dörfern ihre Naturverbundenheit über die Generationen vererbt haben, jedenfalls gehören die Hunde zu Berlin wie die Kneipen und diese, nur Fremde erschreckende Großmäuligkeit, in der Selbstbeschreibung der Stadt als Berliner Schnauze bezeichnet. Es ist natürlich auch möglich, daß die Berliner Sprechweise, die wegen ihres zuweilen bellenden Grundtons häufig zu Mißverständnissen im Umgang mit anderen, insbesondere süddeutschen Bevölkerungsgruppen führt, für die Kommunikation mit dem Hund aber besonders geeignet ist. Der Hund, ebenso wie der Berliner unfähig zur phonetischen Verbindlichkeit des süddeutschen Singsangs, mißversteht den Berliner nicht, wie der Berliner gleichermaßen im rauhen Hundebellen Elemente der eigenen Sprache erkennt, was seine verwandtschaftliche Verbundenheit mit dem Hund befördert. Demzufolge darf der Ausdruck »Berliner Schnauze« auch weniger als kritische Selbsterkenntnis denn als eine zur Selbstliebe erweiterte Hundeliebe verstanden werden.

Die Berliner Mauer, das Wahrzeichen der Stadt für das letzte Drittel des zwanzigsten Jahrhunderts, paßte weder zu den Kneipen noch zu den Hunden, noch zur Berliner Schnauze. Sie hätte zu gar keiner Stadt gepaßt, aber zu Berlin, der Stadt der respektlosen, großmäuligen, kommunikationssüchtigen Hundeliebhaber, paßte sie schon gar nicht. Trotzdem stand sie fast dreißig Jahre lang, und nur die West-Berliner Hunde durften das perverse Bauwerk angemessen benutzen, während Ost-Berliner Hunde zwischen Stacheldraht und Selbstschußanlagen gezwungen wurden, es zu bewachen.

Kneipen entziehen sich, sofern es sich nicht um die polizeiliche Schließstunde handelt, weitgehend dem staatlichen Reglement. Sie haben ihre eigene Geschichte und ihre eigenen Hierarchien. Wer draußen im Leben ein großes Tier ist, gilt in der Kneipe vielleicht als kleine Laus. In der Kneipe hält sich über alle politischen und technischen Revolutionen hinweg ein kontinuierliches, fast folkloristisches Gemurmel, der Kammerton A der Stadt, die Legende vom Kiez, das Ewiggleiche, wenn alles anders wird. Rund um die Kreuzung Dimitroff- (heute Danziger) Ecke Knaackstraße gab es drei Kneipen, den »Hackepeter«, »Siecke« und das »Keglerheim«. Vor dem Krieg tranken im »Hackepeter« die Nazis, bei »Siecke« die Kommunisten und im »Keglerheim« die Sozialdemokraten. Und obwohl in den Jahrzehnten nach dem Krieg sich kaum jemand als Nazi oder Sozialdemokrat bekannt hätte, hieß es bis in die achtziger Jahre, im »Hackepeter« säßen die Nazis und im »Keglerheim« die Sozialdemokraten.

Trotz solcherart Traditionspflege änderten sich die Sitten in den Kneipen Ost-Berlins. Auf kleinen weißen Schildern an den Außentüren verkündete ein kleiner weißer Scotch-Terrier (jedenfalls war es meistens ein Scotch-Terrier) stellvertretend für alle Hunde: Ich muß draußen bleiben. Die Hundeliebe der Berliner ließ sich nur noch im traurigen Blick des Hundes erkennen, gleichsam als Spiegelbild eines menschlichen Rührens, mit dem durchaus nicht jeder abgewiesene Artgenosse bedacht wurde.

Ich hatte damals keinen Hund, sondern Katzen und machte mir darum über dieses wohl unge-schriebene Gesetz keine Gedanken. Außerdem regte ich mich, wie die meisten meiner Mitbürger, natür-lich mehr darüber auf, daß wir alle eingesperrt, als daß die Hunde ausgesperrt waren. Aber erstens habe ich jetzt keine Katzen, sondern einen Hund, und zweitens rücken nun, nachdem die grundsätz-

lichen Fragen ja geklärt sind, die Sekundärfragen
ins Bewußtsein. Wie konnte es passieren, daß den
Ost-Berliner Hunden verwehrt wurde, was für die
West-Berliner Hunde ein selbstverständliches Recht
war?

Politische Gründe dürfen wohl ausgeschlossen
werden, da der Besitz von Hunden nicht verboten
oder auch nur verdächtig war. Möglich ist, daß
sich durch den massenhaften Zuzug von Menschen
aus der Sächsischen und Thüringischen Provinz
der Begriff von öffentlicher Ordnung oder Ordnung
überhaupt verändert hatte, wofür auch die auf-
gereihten Straßenschuhe vor den Wohnungstüren
in den Neubaublocks sprachen.

Aber eigentlich glaube ich, daß es vor allem um
die Menschenwürde ging, die, wie immer die Ver-
hältnisse nun einmal sind, dem Menschen seinen
ideellen Vorrang unter allen Säugetieren garantiert.

Wird die Würde des Menschen eingeschränkt, muß der Abstand zum Tier trotzdem und erst recht eingehalten werden, was bedeutet: Wenn der Mensch für einen Platz am Gasthaustisch das Personal bestechen und sich demütigen muß, versteht es sich fast von selbst, daß dem Hund solches Privileg von vornherein versagt ist. Schließlich will der Mensch nicht leben wie ein Hund.

Die Mauer ist weg, die Ost-Berliner Kneipen und Restaurants haben sich vermutlich verzehnfacht und bieten Patz für Herrschaft samt Hund. Und während in den letzten Jahren die Ost-Berliner Hunde allmählich wieder in das gesellige Leben integriert wurden, zog sich über der gesamten deutschen Hundeschaft ein Unheil zusammen, das sich derzeit gerade in Gesetzen entlädt: der Kampfhund, der für den Kampf gezüchtete, dressierte und gequälte Pitbull oder Staffordshire- oder Bullterrier, der Kinder totbeißt,

Gesichter zerfleischt, bevorzugt gehalten als Waffe und Drohgebärde von Zuhältern, Schlägern und Leuten mit Persönlichkeitsdefekt.

Natürlich gibt es in Berlin, auch davon muß gesprochen werden, eine entschiedene und tatkräftige Fraktion der Hundehasser, deren Kampf bislang vor allem dem Hundekot galt und die darum vor kurzem die gebrauchten Windeln ihrer Kinder in den Grunewald warfen, um die Hunde zu ärgern, die dort spazieren gehen.

Der Kampfhund ist auch in Berlin zum unverhofften Verbündeten der Hundefeinde in ihrem Kampf gegen den Hund schlechthin geworden, allerdings unter Mithilfe fanatischer Hundefreunde. Die nämlich warfen den Hundefeinden Rassismus vor, da nicht nur Pitbulls und ähnliche Rassen, sondern alle von perversen Menschen mißbrauchten Hunde zu Kampfhunden mutieren könnten, ein

Argument, auf das die Hundefeinde natürlich nur gewartet hatten, denn wenn jeder Zwergpudel ein potentieller Kampfhund ist, gehört er ebenso an die Leine wie der Pitbull. Und so ist es nun wirklich gekommen. Alle Berliner Hunde, auch der schuhgroße Terrier meiner Nachbarin, werden an die Leine gezwungen. Die Berliner Hundeliebe und die Berliner Schnauze stehen vor einer großen Bewährungsprobe.

Obwohl die Berliner ja auch Deutsche sind und die Deutschen in der internationalen Öffentlichkeit oft der Hysterie verdächtigt werden, darf man die Berliner in ihrer Mehrheit aber mit gutem Recht als unhysterisch bezeichnen. Selbst die Raucher leben in Berlin relativ unbehelligt, was für die Zukunft der Hunde in der Stadt als gutes Zeichen gelten darf, weil die Hunde- und die Raucherfeinde nicht nur mit ähnlichem Furor ihre Widersacher verfolgen,

Lustgarten, Mitte, 1993

sondern gleichermaßen von dem Glauben besessen
scheinen, daß eine von Rauchern oder Hunden
befreite Welt endlich friedlich, reinlich und glücklich wäre. Hundefeinde sind eigentlich Welt-
verbesserer. Wahrscheinlich würden sie am liebsten
alles Böse und Schlechte in der Welt verbieten:
Kriege, Drogen, Mord und Totschlag, Prostitution,
Aids, Ungerechtigkeit, Erdbeben. Und weil diese
Kämpfe so anstrengend wie vergeblich wären,
konzentrieren sie sich lieber auf das Verbietbare:
Hunde und Raucher zum Beispiel. Da der Hunde-
feind, indem er seinen Nachbarshund drangsaliert,
eigentlich die Schlechtigkeit der ganzen Welt
bekämpft, ist er weniger ein lokales Phänomen als
ein globales, was auch bedeutet, daß der Hunde-
feind ein moderner, der Hundeliebhaber hingegen
ein anachronistischer Mensch ist, der inmitten der
Chip-Karten, e-mails, Networks und Haushalts-

elektronik ab und zu ein Stück Fell streicheln will
und ein zufriedenes Hundeschnaufen für sein
Gemüt braucht. Denn der Hundeliebhaber will nicht
die Welt verbessern, sondern seine eigene Gemüts-
lage, und mit einem Tier ist das Leben eben gemüt-
licher, womit wir wieder bei den Berlinern sind,
denn die Berliner, jedenfalls die richtigen, sind
Gemütsmenschen, was sich in ihrer Tierliebe ebenso zeigt wie in der Anhänglichkeit an die Stamm-
kneipe.

Vor einigen Tagen traf ich, als ich mit meinem
Hund spazierenging, vier Frauen, alle um die siebzig,
die sich mit ihren vier sehr kleinen Hunden an
einem Hauseingang neben einem griechischen
Restaurant versammelt hatten. Zwei saßen auf
den Stufen, zwei standen daneben. Als ich versuchte,
meinen aufgeregten Hund an dem Auflauf vorbei-
zuzotteln, rief eine der Frauen: »Kommse her, wir

sind hier der Kampfhundverein.« Wir haben uns dann eine Weile über das liebenswürdige Wesen unserer Hunde, die Bosheit tierquälerischer Kampfhundbesitzer und die Hysterie der Hundefeinde unterhalten, und ich dachte, daß ich gern in Berlin wohne, wo sich seit zehn Jahren die Straßen und Plätze täglich verändern, wo man in der eigenen Stadt verreisen kann wie an einen fremden Ort und wo dieser verläßliche anachronistische Gemütston herrscht: Kommse her, wir sind hier der Kampfhundverein.

2000

Ehemaliger Mauerstreifen
(Nähe Bornholmer Straße),
Prenzlauer Berg, 1993

Eigentlich sind wir nett

Wären die Berliner Ausländer, dürfte gar nicht
über sie gesprochen werden, wie von Passau bis
Flensburg über sie gesprochen wird. Aber die Berliner sind keine Ausländer, sondern Inländer, und als
Bewohner der Hauptstadt sind sie fast noch inlän-
discher als alle anderen Inländer, und darum gilt in
ihrem Fall alle üble Nachrede nicht als Diskriminie-
rung oder als Verunglimpfung einer Minderheit,
sondern als gerecht.

Vor einigen Wochen fuhr Ich mit dem Zug von
Ulm nach Berlin und kam während der achtstündi-
gen Fahrt mit einem Herrn ins Gespräch, der nie
zuvor in Berlin gewesen war und der sich nun, weil
er seinen studierenden Sohn besuchen wollte, zum
ersten Mal auf dieses ihm mißliebige Wagnis ein-
ließ.

Der Herr war noch keine fünfzig. Er trug ein klein-
kariertes Jackett, braune Hosen, braune Schuhe.

Am Kleiderhaken hing ein Trenchcoat mit Burberry-Futter.

Vor der Wende sei er aus Prinzip nicht nach Berlin gefahren, schon wegen der Vopos nicht, aber auch wegen des ganzen heroischen Getues der Berliner. Die Berliner seien ihm von jeher unsympathisch gewesen. In Süddeutschland habe man sie ja als Urlauber zur Genüge kennenlernen können.

Ein bißchen schlimm seien Urlauber doch immer, sagte ich.

»Mag sein«, sagte der Herr, »aber die Berliner sind mir doch immer am schlimmsten vorgekommen. Laut, unhöflich, barsch, preußisch eben.« – »Ja, ja«, sagte ich, »es wird schon stimmen, das behaupten ja alle.« – »Und, bitte verstehen Sie mich nicht falsch«, fuhr der Herr fort, »pöbelhaft, die Berliner wirken pöbelhaft, mein Sohn würde sagen: prolmäßig. Trotzdem wollte er unbedingt in Berlin studieren. Und sie sind Aufschneider, die Berliner. Kennen Sie den Witz von dem Berliner Jungen, der zum ersten Mal in die Alpen kommt und sich über die Mickrigkeit der Berge mokiert? Und als jemand einwendet, daß die Berliner schließlich gar keine Berge hätten, sagt der Junge: Aber wenn wir welche hätten, wären sie viel höher. Solche Aufschneider sind die Berliner.«

»Ist doch auch ganz witzig, der Junge«, sagte ich vorsichtig.

»Wie man es nimmt«, sagte der Herr, »wenn es witzig gemeint ist, schon. Aber vermutlich war es gar nicht witzig gemeint, sondern ernst. Von dem berühmten Berliner Humor habe ich sowieso noch nie etwas bemerkt.« Langsam stieg Unmut in mir auf. Als Berlinerin bin ich an Schmähreden gewöhnt; und daß wir nicht besonders höflich sind, wissen wir selbst; und wenn wir von uns behaupten, wir seien rauh, aber herzlich, beweist das allein, daß wir uns über unseren Charme keine Illusionen machen. Aber daß jeder schwäbische Schulmeister über unsere Humorlosigkeit lamentieren darf, geht zu weit. Wenn er jetzt noch über den Dialekt herfällt, dachte ich – und schon war es passiert.

»… und keine Vokale«, sagte er. »Batt statt Bad (er sagte Baad) und Ratt statt Rad (Raad), hinn statt hin (hien) und ann statt an (aan).«

»Und tschö statt adele«, sagte ich, nahm den Mantel und wollte das Abteil wechseln.

»Ich bitte Sie.« Der Herr sprang auf. »Sie gehen doch nicht meinetwegen, nein, das dürfen Sie nicht.« Er hängte meinen Mantel wieder an den Haken und nötigte mich auf meinen Sitz. »Aber sehen Sie. Genau das meinte ich«, sagte er, »die Berliner haben keinen Humor.« – »Was war denn gerade der Humor?« fragte ich.

Er klatschte vor Vergnügen in die Hände: »Ich

sage es, ich sage es, keine Selbstironie, keinen Humor.«

Ich sah grimmig zu, wie ihm vor Lachen eine Träne aus dem rechten Augenwinkel lief. »Sie lachen schließlich auch über mich und nicht über sich«, sagte ich.

»Wenn Sie wüßten, wie ich über mich lachen kann, ha, laut und herzlich kann ich über mich lachen. Fragen Sie nur meine Frau. Wir haben da im Süden eine ganz andere Kultur, aber der Berliner bemitleidet sich gerne selbst. Der ist an seine Subventionen gewöhnt, die haben ja noch 1989 Mieten gezahlt wie Ulm in den Sechzigern. Und jetzt jammern sie.«

»Wer jammert?«

»Die Berliner.«

»Jetzt reicht es aber«, sagte ich, mittlerweile erschöpft von meiner eigenen Langmut. »Jetzt hören Sie mir mal zu«, sagte ich, »wir sind jetzt in Hannover, und bis Zoo hören Sie mir jetzt zu. So höflich, wie ich Ihnen zugehört habe. Von mir aus auch so humorlos. Also: Wenn man den Ulmern oder den Münchnern oder den Heidelbergern vor zehn Jahren erklärt hätte, daß sie für den Rest ihres Lebens auf einer Baustelle wohnen werden, hätten die vielleicht nur mit den Schultern gezuckt und gesagt: Na, wenn's sein muß, besser, als wenn nischt jemacht wird? Hätten sie nicht.

Das haben aber die Berliner gesagt und suchen sich seitdem jeden Tag, den Gott werden läßt, neue Wege durch ihr Zentrum – das vermutlich so groß ist wie ganz Ulm –, mürrisch wie immer, aber auch nicht viel mürrischer. Und wenn sich irgendein russischer Mafioso nach Ulm verirren würde, hätten die Ulmer Zeitungen Stoff für drei Wochen und die Vertreiber von Sicherheitsanlagen Hochkonjunktur.

Aber wir haben außer der russischen die vietname-
sische, die rumänische, die albanische, wahrscheinlich auch eine polnische und bulgarische
Mafia und fragen uns höchstens, ob die mongoli-
sche eigentlich auch schon da ist. Sie denken, weil
die Schwaben an jedes Wort ein -le hängen, sind sie
auch die gemütvolleren Menschen, als würde aus
einem Kampfhund ein Schoßhund werden, nur
weil er Hundle heißt. Der Berliner ist ein wahrer
Gemütsmensch, und was Sie als humorlos bezeichnen, ist seine kindliche Natur. Kinder verstehen
keine Ironie. Aber wenn man zu den Berlinern sagt:
Wir graben jetzt eure Stadt um, und ihr bekommt
eine rote Box, von der aus ihr das Graben und Bauen
beobachten könnt, dann klettern sie alle rauf und
gucken runter und haben so ihr Vergnügen an der
ganzen Plage. Und wenn man den Berlinern sagt:
Jetzt ist die Kuppel vom Reichstag fertig, ihr könnt

sie euch ansehen, dann stellen sie sich am nächsten Tag drei Stunden lang an, gehen rund um die Kuppel und sind entzückt, daß es sie gibt. Und wenn die Berliner Museen nachts öffnen, weil das interessanter ist als am Tag, dann gehen Berliner nachts ins Museum und freuen sich, wenn sie Bekannte treffen. Und wenn Sie den Berlinern sagen«, sagte ich zu dem Herrn aus Ulm, »daß morgen der irrste Regen der letzten fünf und der nächsten zehn Jahre fallen wird, dann werden sie alle in Gummistiefeln und mit Regenschirmen auf die Straße rennen, um den irren Regen nicht zu verpassen, und manche werden sogar ohne Regenschirm und barfuß kommen, jawohl.«

Ich redete und redete. Der Herr aus Ulm wirkte ziemlich eingeschüchtert, wie er sich in die Polster seines 2.-Klasse-Sitzes drückte und mich schweigend und ungläubig anstarrte, während ich ihm alles

Leipziger Platz, Mitte, 1993

sagte, was ich mir selbst manchmal hersage, wenn ich mich über den grobschlächtigen, uneleganten, mißgelaunten Menschenschlag, zu dem ich gehöre und mit dem umzugehen ich gezwungen bin, hinwegtrösten will.

»Und«, sagte ich zu dem Herrn aus Ulm, »die Berliner verleihen ihr Zentrum an jeden, der es haben will, an Raver, Marathonläufer, Radrennfahrer, Kinder, an Protestierer jeder Couleur, sicher auch an schwäbische Trachtengruppen, wenn sie es wünschten, weil die Berliner solche Gemütsmenschen sind«, sagte ich und verschwieg, daß ich den Berliner Senat oft genug verfluchte, weil er unser Stadtzentrum vermietet wie ein Gastwirt seinen Tanzsaal.

Offenbar war der Herr meiner Lobreden überdrüssig, denn der Trotz, der sein Gesicht zunehmend verfinstert hatte, wich einem listigen kleinen

Lächeln. Eine längere Atempause von mir nutzte
er auch gleich, um mir, obwohl wir noch nicht einmal den Stadtrand von Berlin erreicht hatten,
ins Wort zu fallen.

»Diese großzügige Gastfreundschaft der Berliner
haben auch die Nazis und die Kommunisten zu
würdigen gewußt«, sagte er. Er atmete tief ein, so
daß seine Nasenflügel ein wenig vibrierten, und rief
mit bebender Stimme: »Nie wieder Großdeutsch-
land, nie wieder Diktatur! «

»Ach ja«, sagte ich, »das sagen Sie als Lehrer, Sie
sind doch Lehrer, oder nicht? Hitler hatte in Berlin
nie die Mehrheit, das sollten Sie wissen. Und die
Kommunisten mußten die Sachsen in Berlin
ansiedeln, um die Berliner zu beherrschen. Und die
Montagsdemonstrationen in Leipzig wären auch
nicht gewesen, was sie waren, wenn die Berliner
nicht alle hingefahren wären.«

Ob die letzte Behauptung stimmt, weiß ich zwar nicht, halte es aber für möglich. »Und falls Sie mir jetzt noch mit Preußen und dem Alten Fritz kommen sollten«, redete ich weiter, »sollten Sie gleich daran denken, daß unser Friedrich (ich sagte wirklich »unser Friedrich«) ein dicker Freund von Voltaire war und die Kartoffel eingeführt und den Juden Schutz geboten hat.«

Mit meinen letzten Worten fuhr der Zug in Berlin-Wannsee ein. Der Herr sah neugierig und unbeeindruckt von meinem Plädoyer aus dem Fenster. Ich mußte zum Finale kommen.

»Also, was ich sagen wollte«, sagte ich, »wir sind eigentlich nett. Sie müssen wirklich keine Angst haben. Und wenn jemand Sie anmeckert, ein Lastwagenfahrer, dem Sie im Weg stehen, oder eine ungeduldige Verkäuferin, der Sie zu langsam sagen, was Sie wollen, dann sollten Sie nicht empört oder gekränkt sein, sondern ruhig und direkt fragen: Warum schimpfen Sie mit mir?«

»Das ist ja lächerlich«, sagte der Herr.

»Versuchen Sie es einfach. Und dann wird der Lastwagenfahrer zu Ihnen sagen: ›Wissense, wie oft mir det am Tach passiert, ick kann Ihnen janich sagen, wie oft. Und sehnse mal, wat ick denn machen muß, hier, sehnse die Kurbelei, und dit zich-mal am Tach, sehnse. Ick bin seit zwanzich Jahren im Beruf, ick kann Ihnen wat erzählen …‹ Und dann erzählt er, und am Ende sagt er: ›Also nischt für un-jut, wa, aber denkense in Zukunft mal dran. Schönen Tach noch, tschüss.‹ Und mit der Verkäuferin wird es ganz ähnlich sein. Ganze Lebensläufe und Familiengeschichten können Sie so erfahren. Jede Meckerei ist ein getarntes Gesprächsangebot, das können Sie ruhig glauben. Sie können sich natürlich auch so benehmen, wie Sie sich mir gegenüber

benommen haben, und dann werden sich vermutlich alle Ihre Vorurteile erfüllen; die ›sich selbst
erfüllende Prophezeiung‹ heißt das. Aber eigentlich
sind wir nett, wirklich. Allerdings kann auch
passieren, daß Sie an einen geraten, der genau so
ist, wie Sie denken, daß die Berliner sind, bei dem
das auch mit dieser Frage, Sie wissen schon, nichts
hilft. Aber das ist dann kein Berliner, sondern ein
Brandenburger. Mit den Brandenburgern werden
die Berliner zu ihrem Unglück oft verwechselt. Aber
die Brandenburger sind wirklich so.«

»Ach so«, sagte der Herr, und wie er das sagte,
klang ziemlich gemein. Wir passierten gerade den
Savignyplatz, und der Zugfunk verkündete die
gleich zu erwartende Ankunft im Bahnhof Zoo.

Sein Sohn hole ihn ab, sagte der Herr aus Ulm,
griff Mantel und Koffer und drängte zum Ausgang.
Im Hinausgehen dankte er mir für die kurzweilige

und sehr aufschlußreiche Reise. »Du alter Pietist«, dachte ich und wünschte ihm einen erbaulichen Aufenthalt in Berlin.

»Sie dürfen bei Rot über die Straße gehen«, rief ich ihm noch hinterher, aber wahrscheinlich hat er das nicht mehr gehört.

1999